Do mo thuismitheoirí, Kathleen agus Eamon, agus
do Bhéibhinn, m'iníon rua chatach,a spreag an scéal seo.

GB x

Do na héiníní ar fad: tá neart agus misneach ionaibh,
ach creideamh ionaibh féin.

TK

Foilsithe den chéad uair ag Futa Fata,
An Spidéal, Co. na Gaillimhe, Éire

An chéad chló © 2018 Futa Fata
An téacs © 2018 Gemma Breathnach
Maisiú © 2018 Tarsila Krüse

Dearadh, idir chlúdach agus leabhar, Susan Meaney

Tá Futa Fata buíoch d'Fhoras na Gaeilge faoin tacaíocht airgid.

Foras na Gaeilge

ISBN: 978-1-910945-41-4

Percy Péacóg

scríofa ag
Gemma Breathnach

maisithe ag
Tarsila Krüse

An chéad lá ar scoil a bhí ann do na héin óga. Ní raibh aithne ag Percy Péacóg ar éan ar bith eile ar an mbus, ach ba chuma leis. Thaitin sé leis nuair nár thug éinne faoi deara é.

Bhí a múinteoir nua, Bean Uí Chleite, ag fanacht ag stad an bhus.

"A Uasail Storc!" a bhéic sí. "Coinnigh do shúile ar an mbóthar!"

"Mo mhíle leithscéal!" arsa an tUasal Storc.

"Bhí mé ag breathnú ar fhéileacán álainn daite.

Beidh mé níos cúramaí as seo amach, geallaim duit."

"Tá súil agam nach mbeidh Bean Uí Chleite ag fógairt ormsa mar a bhí ar an tUasal Storc," arsa Percy leis féin.

"Má choinním deas ciúin, b'fhéidir nach dtabharfaidh sí faoi deara ar chor ar bith mé!"

"Anois, a rang!" arsa Bean Uí Chleite. "Insigí dom fúibh féin!"

"Tá mise in ann seasamh ar leathchos!" arsa Liam Lasairéan.

"Tá mise in ann snámh!" arsa Lúsaí Lacha.

"Tá mise in ann go leor, leor stuif a iompar i mo ghob mór!" arsa Póilín Peileacán.

"Tá mise in ann mo cheann
a shá sa ghaineamh nuair
a bhíonn faitíos orm!"
arsa Órla Ostrais.

"Go hiontach!" arsa Bean Uí Chleite.

"Céard atá tusa in ann a dhéanamh, a Phercy, a stór?"

"Tada," arsa Percy de chogar.

"Tada?" a dúirt an rang.

"TADA?"

"Ó bhó," arsa Percy leis féin.

"Tá siad ar fad ag stánadh orm!"

"Tá sé chun tarlú...

tá a fhios agam go bhfuil... ó ná habair!"

"WÚÚÚ!"

a bhéic na héin eile.

"Sin eireaball den chéad scoth!'

Ach níor cheap Percy gur eireaball den chéad
scoth a bhí ann. Bhí fonn air dul i bhfolach.
Níor thaitin sé leis nuair a bhí gach duine ag stánadh air.

"Tá sé in am don rang ceoil," a d'fhógair Bean Uí Chleite.

Thosaigh na héin ag canadh go binn.

Ní éan mór ceoil a bhí ann, ach rinne Percy a dhícheall.

"Tá guth breá láidir agat, a Phercy!"

arsa Bean Uí Chleite go cineálta leis.

"Ó bhó," a cheap Percy. "Tá siad ag stánadh arís orm."

Sa rang ealaíne, tharraing gach duine pictiúr dá nead féin.
Thaitin sé le Percy a bheith ag obair go deas ciúin.

"Is aoibhinn liom do phictiúr, a Phercy!" arsa Órla Ostrais
go cineálta leis. D'fhéach na héin eile ar fad air.

"Ó bhó," arsa Percy leis fhéin. "Tá sé chun tarlú arís …!"

"Seo linn, a stóiríní!" a ghlaoigh Bean Uí Chleite.

"Isteach sa choill linn anois. Cuardóidh muid an t-ábhar is DEISE le neadacha a dhéanamh. Leanaigí mise!"

D'fhan Percy siar.

Bhí sé ag iarraidh…

smacht a chur…

ar a eireaball.

Faoin am go raibh sé sin déanta aige, bhí an rang ar fad imithe as radharc. "Bhuel, ar a laghad ní bheidh éinne ag stánadh anois orm," ar sé leis féin.

Shuigh Percy síos, ag fanacht go bhfillfeadh an rang.

D'fhan sé. Agus d'fhan sé. Agus d'fhan sé.

Ansin, go tobann…

Chonaic Percy an bus scoile ag teacht. Agus thart ar chasadh géar sa bhóthar, chonaic sé a chairde ag teacht ón treo eile. Bhí go leor, leor ábhair á iompar acu le neadacha a dhéanamh.

"Ní fheicfidh siad an bus!" a dúirt Percy leis féin.

"Agus muna bhfeiceann an tUasal Storc iad siúd…."

"An Bus!" a bhéic Bean Uí Chleite.

Thug Liam Lasairéan léim ar leathchos, amach as an mbealach.

Phioc Póilín Peileacán a cara Lúsaí Lacha suas ina gob mór.

Ach níor éalaigh Órla Ostrais. Mar nuair a tháinig faitíos uirthi,

sháigh sí a cloigeann sa ghaineamh…

"ÓRLA!" arsa Percy.

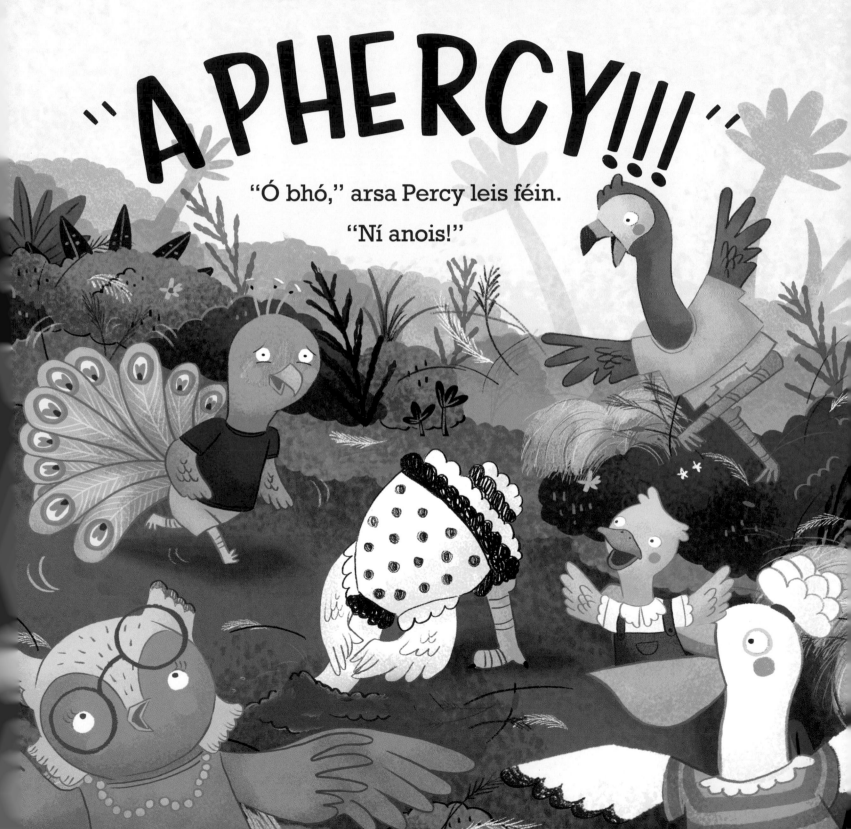

"A Phercy!" a bhéic Bean Uí Chleite.

"A PHERCY!" a bhéic na héin ar fad.

"A PHERCY!!!"

"Ó bhó," arsa Percy leis féin.

"Ní anois!"

A luaithe is a chonaic an tUasal Storc eireaball mór ildaite Phercy, stop sé an bus de scréach. Agus díreach in am!

"**WÚÚ!**" a bhéic na héin ar fad.

"Mo mhíle, míle leithscéal," arsa an tUasal Storc. "Bhí mé faoi dhraíocht ag na féileacáin áille arís. Murach d'eireaball…"

"Shábháil d'eireaball álainn Órla Ostrais, a Phercy!" arsa Bean Uí Chleite.
"Caithfidh go bhfuil tú an-bhródúil as!"

"Tá," arsa Percy. "Tá mé FÍOR-bhródúil as!"

Bhí gach duine ag breathnú ar Phercy anois.

Ach ba chuma leis. Ba chuma leis beag ná mór!